KB182828

시와 사진으로 만나는 순천 사찰 기행

둥근 거울

시와 사진으로 만나는
순천 사찰 기행

둥근 거울

초판1쇄 찍은 날 | 2021년 12월 27일
초판1쇄 펴낸 날 | 2021년 12월 31일

기획 | 연경인문문화예술연구소
사진 | 연경인문문화예술연구소,
김의길, 송광사, 황진하, 진화스님, 석연경
시 | 석연경

펴낸이 | 송광룡
펴낸곳 | 문학들
등록 | 2005년 8월 24일 제2005 1-2호
주소 | 61489 광주광역시 동구 천변우로 487(학동) 2층
전화 | 062-651-6968
팩스 | 062-651-9690
전자우편 | munhakdle@hanmail.net
블로그 | blog.naver.com/munhakdlesimmian

값 16,000
ISBN 979-11-91277-41-8 03810

• 이 책은 전남문화재단의 2021년도 지역문화예술특성화지원사업의
지원을 받아 발간되었습니다.

『시와 사진으로 만나는 순천 사찰 기행-둥근 거울』은 〈시로 만나는 전남 사찰 기행〉 시리즈 첫 번째 책으로 기획되었다. 그동안 연경인문문화예술연구소는 인문답사와 불교철학을 다지며 순천 불교문화를 연구해왔다. 이 책은 예술로 승화된 시와 사진으로 사찰문화를 소개한다. 독자는 사찰 문화를 예술로 체험하고 시를 읊조리며 순천불교문화에 대한 인문학적 소양을 쌓게 될 것이다.

순천은 세계문화유산인 태고총림 선암사와 한국 삼대 사찰 중 하나인 승보종찰조계총림 송광사가 있다. 송광사는 16국사를 배출하여 불교 역사에 큰 족적을 남겼다. 선암사와 송광사는 오랜 역사와 전통을 가진 사격에 맞게 암자와 말사 또한 운치와 깊이가 있다. 순천 곳곳에 선암사와 송광사 말사가 있으며 지리산 화엄사 말사도 있다. 순천에서 한국을 대표하는 훌륭한 고승이 수행하고 강학하며 한국 불교의 맥을 이어왔던 것이다. 그 외 조계종 총본산인 조계사 직할사암과 개별 선원도 순천불교문화를 전개하고 있다.

순천불교는 보조선사 체징이 정혜사를 창건한 기록을 시작으로 통일신라시대와 고려시대에 융성했다. 당시 순천에는 선암사 금둔사 도선사 동화사 등이 있었다. 특히 고려시대에는 보조국사 지눌이 등장하여 정혜결사를 하고 송광사를 중심으로 불교정신문화를 크게 발전시켰다. 조선시대 불교문화는 숭유억불정책과 양란으로 고난을 겪지만 향림사는 자복사였으며 선암사 송광사 대광사

등에서 강원과 선원이 크게 부흥했고 다양한 불서를 간행하였다.

일제강점기에는 선암사와 송광사를 중심으로 임제종 운동을 전개해 일제에 저항하며 한국불교의 자주적 법맥을 이었다. 한국전쟁과 여순사건을 겪으면서 전각이 소실되는 등 변화를 겪지만 강원과 선원에서 적극적으로 승려를 길러내고 불사와 포교에 힘쓰면서 발전해왔다. 현재 순천 전통사찰은 조계종 4곳, 태고종 4곳이 있다. 이름만 남아 있거나 흔적만 남아 있는 폐사지도 순천불교문화를 말해준다. 다양한 굴곡 속에도 순천불교문화는 한국불교의 주요한 성지의 맥을 이어 현재 융성하게 불교문화를 꽃피우고 있다.

정신문화적 측면에서 의미와 가치가 있는 순천불교문화를 심미적인 시와 사진으로 감상하며 불교철학과 선불교도 알아가게 될 것이다. 시를 읽으면서 나는 누구인지, 어떻게 살아야 하는지 등 인문학적 성찰을 할 수 있다. 더불어 한국불교의 인문학적 깊이도 알아가길 바란다. 이 시화집이 독자들의 삶을 활기차게 만드는 원동력이 되길 바라며 두 손을 모은다.

2021년 12월 선향 그윽한 날

연경인문문화예술연구소에서

석연경

귀경게

눈꽃 안 매화
매화 안 빗소리
은하수 속 사막
사막 안 장마
달 속 태양
빙하 속 화산
씨앗 안 만년 숲
찰나 속 억겁
찬탄과 예경

| 차례 |

들어가는 말 4

귀경게 6

제1부 송광사

조계산 송광사 12

무무문無無門 14

우주목宇宙木, 송광사 비사리구시 16

능견난사 19

불일문과 일주문 20

심목心木 고향수枯香樹 23

침계루와 우화각 24

송광사 대웅보전 27

설법전 28

수선사 태산목 31

둥근 거울 32

도성당 뜰에서 36

삼일암에 앉아 39

응진전 그래 그래 41

송광사 국사전 42

영산회상도 45

지장전 마룻널 46

구산스님 칠바라밀 게송 48

제2부 송광사 암자

화엄전 가는 길 52

송광사 화엄경변상도 55

방우산방 56

전법 59

눈 내리는 후박나무 숲에서 61

겨울, 저녁 불일암에서 62

감로암 65

광원암 67

부도암 패랭이꽃 68

탑전 겨울 비파 71

송광사 향나무 72

인월암 석화石花 75

천자암 76

깨달음의 새 78

제3부 선암사

조계산 선암사 82
선암사 승선교 85
선암사 삼인당 꽃무릇 86
선암사 원통전 모란꽃살에 기대어 89
선암사 조사전 90
무량수전 정원 93
선암사 무우전 돌담길 선암매 94
장경각에서 96
선암사 칠전선원 98
선암사 와송 103
선암사 연지 104
새벽 대각암 106
대승암에서 봄꿈을 꾸다 109
선암사 비로암 찻잔에 모란꽃빛 어리고 110
운수암 첫눈 113

제4부 순천 발사

대승사 붉은 염불꽃 116
금강암 종소리 119
금둔사 납월매 피기 전날 밤 120
향림사 숲에서 123
용화사 와온 124
도선암 바람의 꽃 126
정혜사 하늘의 눈 129
동화사 꿈결, 동백꽃 130
큰 수레 흥륜사 132
북극성 금룡사 134
연꽃 홍선사 137
보현사 대숲 138
선원禪院 살구나무 책상에서 140
석창포 142

발문 둥근 거울 속으로 들어가서 만나는
순천 송광사와
선암사의 부처 세계 김준태 144

제1부

•
•
•

송광사

조계산 송광사

푸른 숲 속의 검은 숲이라
산이 빼어나나
가람보다 더 하랴
가람이 빼어나나
스님보다 더 하랴

©김의길

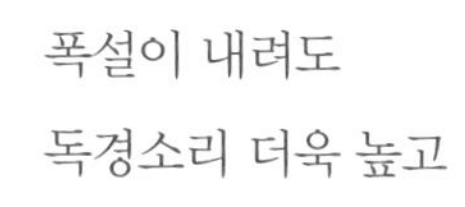

폭설이 내려도

독경소리 더욱 높고

눈 녹으니

겨울 숲은 맨몸 드러내는데

스님은 고향을 읊조리네

전각 검은 기와 등줄기가

무색의 허공을 삼키네

무무문無無門

'바다 밑 제비집에 사슴이 알을 품고'
무無라 무無라
'불 속 거미집엔 고기가 차를 달이네'
스님들이 효봉스님 사리탑을 돌고 있다

'이 집 소식 뉘라서 알랴?'
사명대사 기일이었네
무無라 무無니라
이승의 새벽 봉우리를
떠나는 배 한 척
송광사를 바라본다

'흰 구름 서쪽으로 날고 달은 동쪽으로 달리네'
구산九山아 법정法頂아 법흥法興아
무無라
일각一覺 일초一超 무無라…

효봉스님 두 개 호두알은
손안에서 구르는데
'내가 말한 모든 법'
만법귀일이라
'그거 다 군더더기'
그게 우주

'오늘 일을 묻는가?'
어제가 오늘이고 오늘이 내일이네
'달이 일천 강에 비치리'
해가 일천 강을 태우리

무無라 무無니라
캄캄한 사리함 안
영롱한 사리여

ⓒ석연경

ⓒ석연경

©석연경

우주목宇宙木, 송광사 비사리구시

큰 느티나무가 있었지
태양이자 바람이며 구름이던 느티나무
눈부신 초록 그늘이며
넓은 등이었지

느티나무는 모든 것을 받아들였어
순풍과 비나 눈보라도
어느 날은 뛰어내리는 빛의 칼날
벼락을 받아들였어
느티나무는 벼락의 마음이 되었다가
천둥보다 큰 소리로 쓰러졌지
쿵
느티나무라는 마음을 내려놓았어

느티나무는 누운 채
오랜 시간 말아 쥐며
부피를 늘여 왔던
나이테를 지웠지
느티나무였던 시간의 속을 비워내고
맑은 향기 사천 명 밥을 품고
큰 나무그릇 구시가 되었지

송광사 승보전 옆에 가보라
심우도 아래서
소를 찾고 소를 버리고
그저 밥이 되었던
비사리구시가 있으니

자세히 보면 알게 되리라
잎을 달고 일렁이는 느티나무 안에
가부좌한 거대한 보리수
우주목 한 그루

©김의길

©연경인문문화예술연구소

능견난사

보고도 알 수 없는 것
만지고도 알 수 없는 것
감각으로는 알 수 없고
머리로는 알 수 없는
놋쇠의 포개짐

아래로 포개도
위로 포개도
하나로 포개지는

자연과 사람이
전생과 이승이
꽃과 나비가
손과 손이 하나로 포개지는

너와 나의 만남도 비밀의 겹쳐짐
보이지 않는 겹쳐짐
알 수 없는 우주의 신비

불일문과 일주문

산문에 든다
승보종찰의 불일문
승려의 맥박이 북소리로
조계산을 울린다
지혜광명으로 들어가는 문
길상과 벽사 왕의 왕
석사자가 품으로 달려오고
장승은 큰 눈 껌뻑인다

일주문 계단 옆에는
사자 두 마리
어느 생애 토굴 지나
송광사 산문을 지키는가
높이 솟아 포효해도 좋으나
두 눈 부릅뜨고
선객을 맞이하거라
조계산 큰 수레바퀴가
무자 화두 던질 때
일주문 일곱 계단을 올라보라
맑은 계곡에 귀 씻기고
청정 스님의 숲을 보리라

©김의길

Path up a Mountain

심목心木 고향수枯香樹

폭설이여

먼 옛날 보조국사
마른 향나무에
난난분분 내리느냐

활활 타는 화두에
한 점 먼지라

눈 코 귀 입
자취가 없네

누군가 정혜쌍수를 물으면
죽어서도 죽지 않는
고향수를 보여주리

조계문 앞
무성한 심목心木을

ⓒ연경인문문화예술연구소

침계루와 우화각

계곡을 베고 누워
푸른 덧문 열고서
무정설법을 듣는다
하늘은 계곡에서 쉬고
계곡은 하늘에서 왔으니
하늘 계곡이
선문염송 읊조리며 흘러가고
우화각 이마에는 시詩가 걸리네
능허교 아래로 흐른 물은 고요해서
물 안에도 연등이 걸리네
옛 풍류를 알려면
침계루에서 현을 타고
우화각에서 날개를 펴거라

枕溪樓

©김의길

©김의길

송광사 대웅보전

송광사 대웅보전에 가보라
가지런히 신발 벗고
없는 마음 내리고
없는 괴로움도 버려라

합장하고 무릎 꿇고 절하면
과거 연등불 현재 석가모니 미래 미륵불이
무아이며 무상이니 공이며 중도라
연기적 세계에 갈 곳 알려주네

승보종찰이라 역대 스님도 모셔져 있지
십육국사와 효봉스님 구산스님도 그려져 있지
해마다 추모 다례 올리며
큰스님 길러 내네

염원은 있으되
쌓인 염원은 없으니

황금 부처 앞에 서면
저절로 향이 피워지고
연꽃이 피어나
황금 독수리가 날아가네

설법전

대웅보전 뒤 가파른 계단 올라
통나무 기둥 사이
닫혀 있는 진여문 열면
불법을 만나리

설법전에 있던 해인사 대장경 1부
전쟁 때 불탔으나
활자 없는 팔만대장경이
여전히 설법을 한다
재가 된 활자 설법전에 가득 스며
보이지 않는 활자로 법화를 피운다

하나의 경꽃 읽으면
모든 경꽃 사라진다
꽃 없는 꽃 가운데
달마의 백목련이 피어있다

촛불을 켜면 촛불로
선승이 오면 선승으로
봄바람 부니
백목련꽃경이 설법을 하네

ⓒ김의길

©송광사

수선사 태산목

태산목 하얀 꽃송이는
수행자의 얼굴
스님 죽비소리에
삼매에 든 꽃송이
맑고 하얗다

겨울이면 구산스님이
비닐포대에 넣어 키운 태산목
몇 십 년 동안 피었던가
몇 백 년 전 꽃인가
현묵스님이 꽃송이 옆에 서니
커다랗고 환한 태산목 두 송이
수선사가 환하다

묵언 수행 중에도
선원 태산목 나날이 무성하고
아무 말 없이 열매 가득 맺네

둥근 거울

둥근 마음에는
둥근 얼굴이 담기고
붉은 마음 안에는
붉은 빛이 담기네

색 바랜 선객이 침묵으로 면벽하니
송광사 수선사 둥근 거울
하나의 원 안에서
맑은 우주 거울이 되네

거울마저 없음을 보면
둥근 마음마저 없는 것을 보면
맑은 거울도 사라지고
비추는 것 없이
지나가는 바람만 있네

©석연경

ⓒ송광사

도성당 뜰에서

산수유 꽃 피면 봄이 오고
작약 꽃 피면 님이 오네
붉은 국화 향기에
가을 빛 무르익네

수행 높은
도성당 큰스님 법향은
더욱 그윽해
조계의 뜰을 환히 밝히네

©송광사

ⓒ송광사

삼일암에 앉아

상사당과 하사당 나란히 앉았으니
고요하고 햇살 따스하다
눈향나무는 석축에 기대어
햇살법문 듣고 있다

나라가 태평할 때
단물이 솟는다는 예천을 마시고
담당국사 삼일 만에 오도하였지

세계는 하나의 꽃이요
하나의 꽃에는 세계가 담겼으니
방우가풍 미소실 방장스님은
내가 바로 그라 하고
하사당 솟을지붕도
햇살 아래 마음을 쉬고 있다

ⓒ김의길

©송광사

응진전 그래 그래

그래 그래 네 기도를 들어주마
석가여래 십육나한이 맞절해준다
정초기도가 송광사 품에 안겨 올라간다
그래 그래 네 기도를 들어주마
절하고 염주 돌리는 동안
푸른 눈 스님이 목탁을 두드리니
탱화 속에서 석가 문수 보현 가섭 아난이 나와
기도 소리를 상서로운 구름으로 피워주고
아라한과 십육나한이 기도마다 백련화 건네네
응진전 옆 향적전에는
화목이 불타오를 준비를 하고 있다

©송광사

송광사 국사전

승보종찰 송광사 대웅보전 뒤에는
십육국사가 자네를 기다리고 있지
여순사건 육이오 화마도
고개 숙여 합장하고
국사전은 피해갔다지
축대만 봐도 숙연해져서
백일기도로 붉은 꽃 피우는
배롱나무에 데일라 조심하게

손 모으고 목조 기와 안에 들면
오래된 우물 천정 아래서
십육국사를 알현하게 될걸세
십육국사에 압도되어
머리만 조아리고 오지는 말게
보조 진각 청진 진명 원오 원감 자정 자각
담당 혜감 자원 혜각 각진 정혜 홍진 고봉

ⓒ송광사

십육국사가 자네를 지긋이 바라 볼걸세
반쯤 감은 눈과 꼭 다문 입술로
오직 족적과 법을 설하지
자네가 눈을 크게 뜨는 순간
국사는 일어나 밖으로 나갈 것이네
자네도 따라 나오게
마음이 있건 없건
자네는 표정이 없을 거네

고향의 법향을 맡았는가
국사전과 대웅보전 사이
팔을 넓게 펼친 배롱나무에
자네 마음도 함께 필거네

©김의길

©김의길

영산회상도

독수리가 정상에 앉아서
오묘한 말을 듣고 있다

달빛 삼매 속에
연꽃 수 만 송이 피어있다

한 송이 연꽃에는
수만 가지 향기

꿈속의 꿈을 꾸어도
나는 수미단에 앉아 있다

오색의 안개가 피어오른다
눈으로 보는가
귀로 듣는가
물속 씨앗과 뿌리가
향기로운 연꽃이 된다
번뇌가 보리고
보리가 번뇌려니
연꽃 위를 걷는 사람은
향기로운 발자국을 남기리

©김의길

지장전 마룻널

소금이 된 마룻널이 있다
눈물을 받아 마신 바닥은
묘한 윤이 난다

이승의 것도
저승도 것도 아닌
미끄러지지 않을 만큼의
하얀 빛

수선사 젖은 좌복에 앉아
면벽하던 스님
아픈 무릎도
지장 염전에서
한 고개 쉬어 가며
소금꽃을 털고

텅 빈 지옥과
독 없이 텅 빈 마음

윤나는 마룻널에
봄 햇살 꿈틀거리니
먼 바다 윤슬도 눈부시다

©김의길

구산스님 칠바라밀 계송

송광사 대중은 아침 공양 후 칠바라밀 게송 낭송하지

주인공아, 한줌 재 이 몸 어느 것이 '참나'인고? 정의 한계 가치 알고 희망의 길로 가자

달날은 베푸는 날
나 없이 내 마음 주니 모든 것은 나 없는 마음이 만드네
준다는 마음 없는 대자대비로 마음과 육신 아낌없이 주네

불날은 올바름의 날
규율과 예의범절은 어둠을 밝히는 등불 바다를 건너는 배 병자의 약
성현 되는 사다리 비에 우산 자성을 깨치는 길 칠보장엄 생사해탈 길잡이

물날은 올바름의 날
욕됨 억울함 번뇌를 참는 것은 자아 깨치는 길
모든 선업 성취하고 부처되는 어진 덕 양심 지키고 투쟁 시비 않네
태산 뜻 굳게 세우고 바다 같은 마음 모든 어려움 포용하네

나무날은 힘쓰는 날
보시, 지계, 인욕을 밀고 나가네
대분심 대용맹심 대의심 정진은 자아를 깨우치는 힘
임무에 충실한 힘으로 바닷물을 푸고 보배 구슬 찾으며
진실 근면 인내 검소 연구 찬탄 근학 정진의 행을 닦네

쇠날은 안정의 날

©연경인문문화예술연구소

사물 이치 깨치고 몸과 마음 깨끗하니 지혜 밝아 안심입명은 지분과 지족
이익 쇠락 불명예 명예 칭찬 비난 괴로움 행복 세파에 부동하여 허영심이 없고
혀는 나 죽이는 도끼 입은 병입처럼 말이 없고 뜻은 성문처럼 굳게 닫네

흙날은 슬기의 날
선악을 판단하여 마음 깨끗하면 부처요
마음 밝은 빛은 법이요 마음에 걸림 없으면 도라네
슬기는 탐욕 성냄 어리석음 삼독 끊는 칼 지난 7일 결산하고 7일 행사 설계하네

해날은 봉사의 날
자비심으로 남 좋은 일 찬탄하고 외롭고 불쌍한 사람을 돕네

사자 뿔 베려고 칼 찾는 장부야 얼빠진 장승에게 누가 찾아 주리
자아 깨우쳐 은혜 베풀고 금수강산에 낙원 이룩하네

칠바라밀 게송은 밥보다 더 배부른 공양이네

제2부

송광사 암자

화엄전 가는 길

달빛을 사뿐히 밟고 지나가는
푸른 물소리를 들었는가
징금다리 건너면
화엄의 계단

바람도
달빛도
자취를 남기지 않으나

달빛 따라
돌계단 오르면
태극의 붉은 대문 있으리

©김의길

©김익길

ⓒ송광사

송광사 화엄경변상도

짠물 없는 향수해에서
붉은 연꽃이 떠받드는 화엄 세상

천상과 지상은 대칭이라
일곱 장소 아홉 번 설법이 꽃 피우니
여기는 연화장의 세계라

땅에서 연꽃 향기 번지네
중심 보리도량회 왼쪽 보광명전
오른쪽은 서다림회라
비로자나불 연화장 세계
보현보살이 열어주네
딛고 있는 땅에서 부처가 되네

아래로부터 연꽃향 하늘 설법 번지네
오른쪽 도리천궁회와 야마천궁회
왼쪽은 도솔천궁회와 타화자재천궁회라
구름 위에 앉아서 부처가 되어가네

53인 선지식은 어디에나 있으니
그대도 부처고 스승이라

황톳빛 위에 홍빛 녹빛 금빛이 출렁이니
그대 긴 목에 옥구슬 목걸이 걸어주리라

ⓒ석연경

방우산방

풀피리 불며 자유로운 소가
화엄전 장경판전 사이를 걸어다니네
산이나 하늘 경내나 몸이나
어디든 방 아닌 곳이 있으랴만

화엄전 명성각 빈 터에
아난존자 후예 법홍스님
오백일 기도 후 밝은 별 다시 세워
자유로운 소라 하였으니

해탈 방우산방이라네

조지훈 시인이 월정사 방우산장에 거했다가
방우산방 뜰 나무로 왔을지도 모를 일
한 마리 새로 왔을지도 모를 일

방우산방 주인이
거처 없는 소를 타고 풀피리를 분다
시간도 공간도 없는 곳에
화엄이 있다

ⓒ석연경

©석연경

전법

피가 돈다
나무에서 강으로
강에서 바위로
바위에서 사람의 몸으로
부처의 몸에서
거리의 버려진 강아지에게로
목탁에게로
염주에게로
하늘이 있고 땅이 있다
나무 그늘 반대편에는
나무의 뜨거운 몸이 있다

©석연경

눈 내리는 후박나무 숲에서

고삐 없는 흰 소가
허공을 떠다니며
행선을 한다

어둔 숲을 소요유하던
달의 흔적이

숲 가득 눈꽃으로
수북하게 쌓인다

흰 소의 피리 소리가
눈꽃 위에서
소리 없이 빛난다

겨울 숲

달빛은
눈 안에서 빛나고
숲의 적막은
눈 위에서 빛난다

겨울, 저녁 불일암에서

하나의 질문
하나의 답
풍경은 풍경일 뿐이라

아니오라는 한 마디
그 때 불일암에서
나는 보았네
후박나무 아래서 울컥
저녁 허공을 쓸던
가시뿐인 겨울나무

말없이 안아보니
깡마른 가시가
보드랍고 촉촉하게 벙글은
하얀 꽃송이였네
품지 않고도 품어주는
맑고 향기로운 꽃나무였네

©김의길

ⓒ김의길

활활 뜨거운 아궁이에서
마른 장작이
가득 피워 올리는
묵언의 법문
숱한 무소유의 이야기가
허공으로 사라진다

마음 깊숙한 어디메 풍경소리
꽃술 떨리니 황금 꽃가루 날린다.

질문도 답도 연기일 뿐
마음 기득 향긋하고 환한 꽃송이
고요한 물소리로 흐른다.

©김외길

감로암

소년이 아버지 따라
송광사에 갔다가
돌사람 뒷모습을 보았네

원감국사 탑비 앞 백일홍은
서쪽 하늘을 붉게 물들이고

허공에 별 뜨면
새도 호랑이도 빛나네
마음이 나타나는 곳에
초원이 펼쳐지리

ⓒ석연경

광원암

눈 밝은 사람아
하늘을 보았는가
발가벗은 구름의 몸이
햇살을 받아 눈부시게 빛나네

연못은 거울이라
구름이 지나가면
구름을 담고
바람이 지나가면
바람을 담네
돌 하나 던지니
출렁이는 물결
하늘을 다 마셨네

부도암 패랭이꽃

부도암에 가면 연보라 꽃빛에 물드네
송광사 선승의 비림 문을 열기 전
문 없는 율원에 들기 전
조계산의 사리
패랭이꽃 청정도인을 만나지

ⓒ연경인문문화예술연구소

ⓒ연경인문문화예술연구소

사리탑에는 그림자가 없네
눈 뜨면 빛이 들고
눈 감으며 빛이 사라지네
사리탑은 빛을 품고 있어
그림자가 없네

대경스님이 십법계도를 설하니
패랭이별 빗속에도 더욱 빛나네
캄캄한 밤에도 패랭이별 은하수로 흐르고
율원에는 계율의 별이 빛나네

九山禪門

탑전 겨울 비파

해탈교 건너면 적광전
구산스님 깃든 탑전 입구에
비파나무 두 그루

조계에 첫눈 내리면
비파 꽃봉오리 털옷을 벗고
뽀얀 꽃송이 열지

구산선문 드는 길은
비파향 그윽한 길
비파 연주를 들으며
구산선문에 들면

하얀 사자가 큰 눈 부릅뜨고
목청껏 소리치니
봄이 성큼 오네

오월 맑은 날
황금 비파 불을 켤지니

송광사 향나무

구산선문 향나무에는
맑은 피가 흐른다

체관과 물관을 오가며
조계산 곳곳으로

금나라 왕자 담당을 데리고 온
보조국사가 심어둔 지팡이
천자암 쌍향수라

천자암에서 흘러나온
투명한 향나무의 피가
큰절 효봉스님 사리탑 옆에
향나무로 서서 흐르고

효봉스님 향기로운 피는
구산스님 사리탑 옆으로 흘러
적광전에 향기 품은 나무로 섰다

이 집 가풍은
향기로운 나무로 전해지네

©석연경

ⓒ석연경

인월암 석화石花

예전 삼밭등이골에
와공이 송광사 기와를 굽는 동안
판와암 경판에는
불법의 구름이 피어올랐지

구산스님 인월정사에서 가져온
눈 푸른 글씨가
인월암 이마에 걸려
달빛을 새기네
편백나무와 대숲 사이
돌길을 바라보며

가파른 축대 위에서
좌선하는 암자
짙은 그림자에
먼지가 쌓이면
누가 닦을 것인가

달빛 환한 날
암자 기와에
석화 한 송이 피어나니
법당 안 백지 족자에
달 도장이 찍히리

천자암

달에는 달이 없고
바다에는 바다가 없네
바다에는 달빛 그윽하고
달에는 바다가 출렁이네
천자암에 들면
꿈틀거리는 쌍향수
출렁이는 바다
해인의 빛이 되네

올라가지 마세요

깨달음의 새

사찰숲에 바람 스치는 소리는
선승의 노래라
뼈 없는 돌장승이
흘러가는 구름 사이에 있다

새가 단풍나무 가지에 앉는다
단풍잎 떨어지자 날아간다

소나무에 새가 앉는다
솔방울 떨어지자 날아간다

눈 내린 오도암에
새 솜털 하나 묻혀 있다

©석연경

제3부

선암사

조계산 선암사

뜰 앞에는 잣나무가 없고
조계산 뼈에는 잣나무가 무성하다
눈부신 흰구름 조계산 사찰숲을 넘어가네

조계산 비로암은 선암사의 시원이고
도선이 동쪽 자락 비보하여
명당으로 옮겼으니 지금의 선암사라
장육전에 강철 부처 있으니
우물 단자에 연꽃 피어
용이 꿈틀거리는 각황전이네
용맥을 보호하는 두 보물 탑과
허한 곳 누르는 세 부도림이 있다

대각암 의천이 천태를 일으키니 삼제원융이라
모든 존재는 진실하여 우주는 하나라네
호암이 승선교 원통전 불조전을 세웠으니
장군봉 우람하고
배바위는 밝은 마음자리에서 노를 젓네

일주문 청량산 해천사 현판에 개천이 흐르니
바다가 출렁이고 선맥이 흐른다
일주문 지붕에는 배롱나무 붉은 꽃잎이
골마다 쌓여 경전을 수지독송한다

일주문 안 불두화가
반야바라밀 뭉게구름을 피우는 동안
팔손이 잎은 하늘을 떠받치고 있다
조계산 선암사 강맥 우뚝하다

부처님오신날
선암사 신도

©진화스님

선암사 승선교

선암사 가는 길은 수천 년 숲에 드는 일

부도탑을 지나 선암숲 성지에 들면
조계산 시냇물은 게송을 읊조리지

승선교를 건너는 것은
조계 산문 환한 우주에 드는 일
차안에서 피안으로 신선 되어 오르네
승선교는 반원을 물거울에 비추어
둥글고 커다란 원이 되었네

모든 처음은 무위자연
기단 바위는 수백 년 홍수 폭풍에도
승복 입고 승선교를 받쳐주지
홍예석 한복판에는 용이 종일 지키네
모든 끝은 무위자연
승선교를 건너는 지금은
무위자연 중도로 둥근 풍경 안이 있네

선암사 삼인당 꽃무릇

조계산에는 아궁이가 있어
사찰숲에 불이 자주 났다네
붙타는 집이 많았음이라

아궁이에 연못을 만들고
세 개의 부처도장 찍으니
해탈의 삼인당이라

사람도 마음도 구름도
머무르지 않으며
나는 없고
나타나고 사라짐만 있으니

삼인당 연못은
자취를 남기지 않는
우주적 발화

활활 타오르나
아무 것도 태우지 않는
붉은 심장
불이 곧 꽃인
불꽃이 타오른다

모퉁이 없는 삼인당

둥그스름하고 긴 몸 안에
둥글고 봉긋한 심장
꺼지지 않는
붉은 화두

연못에 어른대는
일원상一圓相

물의 꽃불춤

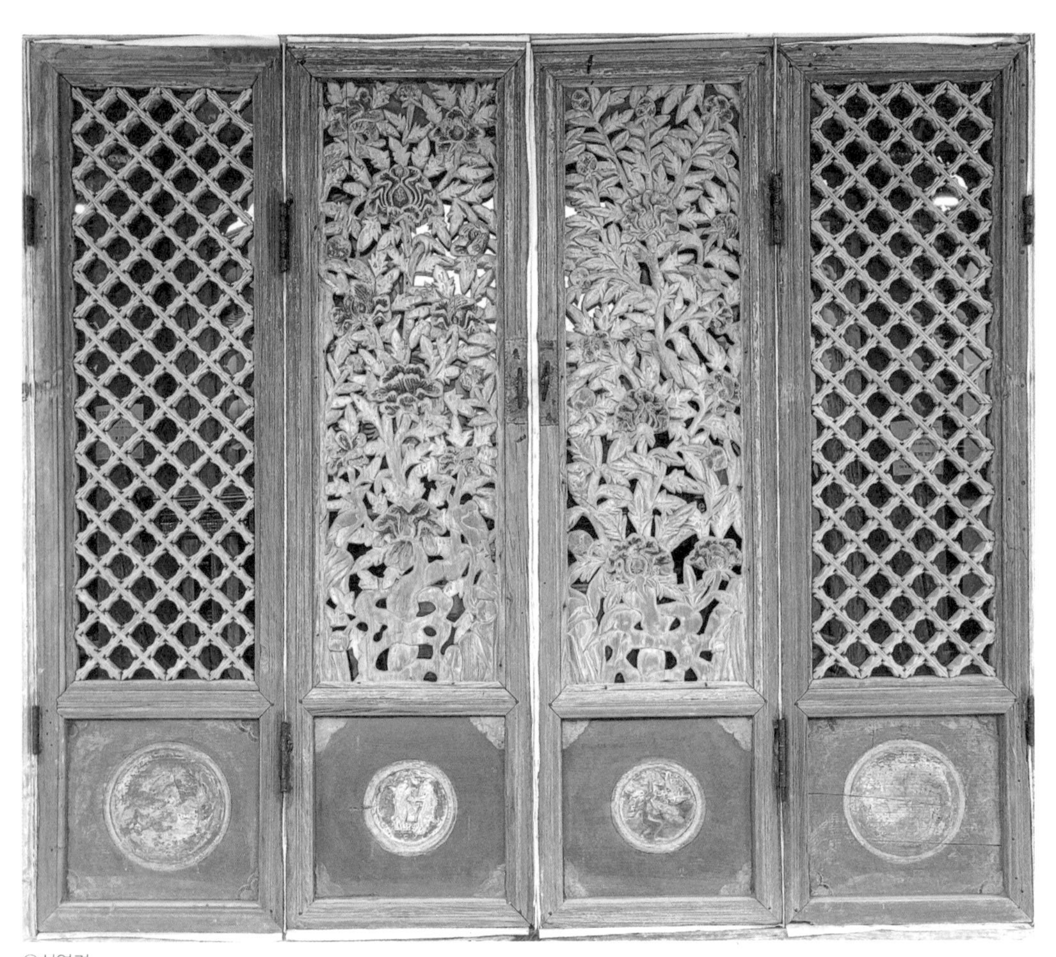

ⓒ석연경

선암사 원통전 모란꽃살에 기대어

누군가의 장엄한 문이 될 수 있다니

원통전 모란꽃살에 기대어
모란의 마음으로
모란꽃으로 마주 피어나네
모란꽃살의 속살이 되네
마음과 마음이 이어져
마음에 귀 기울이는 문이 되네

몇 백 년 흘러도
지지 않는 모란꽃 사이로
황금빛 관세음보살이
엷은 미소를 짓네

향기 없는 모란꽃에
얼굴을 맞대고
원통전 문살에 깃든 이래
모란꽃은 여여하다

이글거리는 태양 안
불에 타지 않는 삼족오
태양열꽃 피우는 동안도 여여

토끼가 달빛 방아를 찧어
바다에 달빛을 뿌려도 여여

한 송이 한 송이
단단한 기도로 피어 있다

선암사 조사전

달마대사를 마주 보면
달마대사를 볼 수 없다
옆에서 비스듬히 보거나
조사전 문을 닫아야 보인다
밖에는 아무 것도 없다
문을 닫으면 보이는
두 개의 밝은 마음

©김의길

무량수전 정원

천불전 부처님 둥글게 모여
둥근 원상 세계 보여주고
강원스님 경전 읽는 소리에
정원 꽃들이 피어난다

목우스님 정원은 화엄
봄이면 매화 향기에
녹차 빛 더욱 맑아
여름에는 파초 울창하여
그늘을 드리우고
나무껍질 공중수로에
조계산 맑은 물이 흘러드네
가을이면 황금빛 은행나무 숲길이 이어지고
겨울이면 차 따르는 소리 깊어
스님 선화는 더욱 고요하네

봄의 부드러운 혀가
언 흙을 핥아주면
수선화는 무량수각을 환히 밝히네

©연경인문문화예술연구소

선암사 무우전
돌담길 선암매

혜풍惠風 불기도 한참 전
각황전 부처님 매화향기에 문을 활짝 열고
묵묵히 선암매를 보고 있다

선암사 매화는
시나브로 진다

싸목싸목 춤추다가
춤사위를 멈추고
허공을 머금다가

지는 것이

아니라는 듯
느리게 호흡하는
연하고 희디 흰 꽃잎

두근거리며 피는 건 찰나
지는 것은 천년

오래된 무우전 담장에 기대어
봄 햇살 삼매에 든 선암매
선시를 읊조리며
매화꽃잎 지네

장경각에서

장경각 앞에 저절로 핀 민들레
문자로 쓰지 않아도
나무에 새기지 않아도
초대하고 반기지 않아도
홀로 우주를 썼다
황금빛으로

키 큰 편백나무 두 그루 꼭대기에
금까마귀 두 마리 앉아 있다
푸른 물 높이 길어 올려
겨울 산빛 앞에서도
물소리 푸르다
하늘에 닿을 듯 선기 걸출한
장경각 앞 편백나무

선암사 칠전선원

하늘에 달 수레가 굴러가니
선원에 달빛 그윽하다

달마전에서 묵언하던 스님
귀에서 영롱한 사리가 나오네

선기 총총 밝아
선원 햇살 투명하니
방이 방을 껴안고
벽이 벽을 껴안네

계곡이 얼고 수곽이 얼어도
선승의 차고도 맑은 숨결
고요 속에 흐를 뿐

©김의길

선암사 와송

위를 향해 뻗어갈 줄
몰라서가 아니다
땅에 엎드려도
육백 오십 년 편안하더라

낮추어라
그래도 괜찮다
아무 일 없다

바로 아래가 바닥인데
절벽에 매달린 줄 알고
사투를 벌이던 눈먼 이 이야기
내려놓아라

한 줄기에서 나온 두 가지
한 가지는 구불거리며 서있고
한 가지는 땅에 닿을 듯 누워서
꿈틀거리며 솔향을 전한다

펼쳐진 잔가지 끝은
우람한 대웅전 치미
전각의 위엄을 뿜어내는
와불이여

선암사 연지

환하고 동그란
연분홍 왕벚꽃이
오래된 돌담 옆에
겹겹 꽃잎을 포개어
꽃등 켜고 있더니

취춘풍 불어오니
네모난 연못으로
왕벚꽃잎 그득 내리네

벚꽃잎 동동 가득한 연못
분홍꽃빛에 둘러싸여
수련이 피어나니

마음 달은 분홍 꽃잎 뿌리며
두둥실 동산으로 떠올라
고요하고 훈훈하다

낮잠 안 꿈이라
묘한 숲에서
두루두루 꽃빛을 비추며
비로자나 오시네

새벽 대각암

대각국사 의천이
누각에서 연못을 바라볼 때
까마귀가 울었다

어디로 가려는가
허공에 원을 그려라
감당한다는 것은
보고 듣고 아는 일

보리수 아래
금강좌가 있으니
지금 숨을 쉬는 그 자리가
적멸보궁이라
허공의 숨소리가 고르다

보리수 다리에서
나그네가 걸어나오네

대승암에서 봄꿈을 꾸다

꿈이 아니라면
어떻게 만날 수 있었으랴
당신은 봄꿈이라

물결이 일어도
파도친 바 없고
이슬이 맺혀도
물에 젖은 적이 없으니

봄에는 나비떼 날고
가을에는 꽃단풍 날리네

바위산이 움직여서
바다에 가 닿으니
흰 구름에서
매화 꽃잎 흩날리네

ⓒ연경인문문화예술연구소

선암사 비로암 찻잔에 모란꽃빛 어리고

아도화상의 바다는
피고 지고 피고 지는
조계산 팔부 능선 은밀한 숲 속의
일렁이는 모란꽃

오고 가지 않는 것을 기다리다
타버린 마음 안에서
사리 꺼내 찻잔을 빚네
천도 넘는 불가마 견뎌 푸른 잔

한 잔은 숨죽인 울음
한 잔은 염화미소
부어도 채워지지 않고
마셔도 줄지 않는
주인 없는 빈자리에 놓인 차 한 잔

오지 않을 것임을 알기에
모란꽃 피어 달빛 더욱 그윽한 밤
무덤을 파네
꽃잎과 꽃잎 켜켜이
삭아 익은 검은 흙
밀물과 썰물의 기도들

달빛이 깊숙한 묘혈에 스미니
오랜 한 마음 붉게 피어나네

모란꽃 아래
깨지지 않는 청잣빛 찻잔을 묻네
식지 않는 뜨거운 차 한 잔
사라진 간절한 마음도

전생을 지나 달빛에 젖은 채
묻혀 있는 찻잔 하나
먼 훗날 밝은 눈동자 오시면
모란꽃 곁에서 차 한 잔 하고 가시게

운수암 첫눈

벼랑 끝에 섰는가
첫눈 훨훨 날려
허공을 뛰어 넘는다
초월과 포월
벼랑 위 복숭아나무에서
꽃눈 내리네

제4부

순천 말사

대승사 붉은 염불꽃

송광사

그날이었어
그러니까 바로 그날
시선일여라
행선하며 시를 읊조리는데
염불소리에 저절로 들어간 곳
이런 때 염불은 시라
아름답고 구슬프고
간절하고 성스러운 시

도시의 한복판
밖에는 오고 가는
사람들과 자동차
구성진 염불소리가 세상 소리에
부드럽게 스민다

들어오는 사람과
나가는 사람은
낯빛이 달라
보이지 않으나
들고 나게 되는 축원의 염불소리

바닥에는 출처 없는
붉은 꽃잎이 뿌려져 있다

대승사
©연경인문문화예술연구소

©연경인문문화예술연구소

금강암 종소리

송광사

오백나한의 금전비구 깃든
금전산 바위산
낙안읍성과 벌교바다가
멀리 내려다보이고
하늘로 통하는 극락석문을 지나면
바위 위에서 참선하는
금강암이 있다

검단선사와 의상대사
지눌과 고봉의 아란야였다가
여순사건 때 소실 후
벌교 낙안민이 기도하듯
바위 위에 인법당을 지었지

금강암 종소리가
울려 퍼질 때
낙안들은 금강암을 올려다보며
합장하였던 것인데
금강암 의상대와 원효대에서
고인 종소리와 익은 빛줄기가
숲 사이를 걸어 내려온다

금둔사 납월매 피기 전날 밤

선암사

곡풍이 불고
젖은 산은 은하수를 부르네
은자들이 대금을 불고
허공계가 절하며 세계를 품에 안네
천년 보리수 아래
붉은 매화 한 송이 날아왔다 사라지네
하얀 코끼리가 대지모 품에서 쉬고
무소 뿔 위로 별이 쏟아지네
아으, 섬은 파도를 일으키고
가릉빈가가 빈 가지에 앉아 노래하네

大雄殿

©김의길

©김의길

향림사 숲에서

선암사

봉황 나는 비봉산에 어미 새가 알을 품었네
알을 품은 어미는 금강석보다 강하지
목숨 바쳐 새끼를 지키려는 지독하고도 거룩한 기세

그 기세 부드럽게 보듬으며
향기로운 숲에 성스러운 법의 향기 내리네

세상 모든 어머니여 이제 향기를 받으소서
차나무와 향나무 거룩한 향기를 올립니다

계향 정향 혜향 해탈향 해탈지견향
깨달음의 여여한 향기에
세상 티끌 번뇌는
향긋하고 환한 극락이 된다

담장 밖에는 소나무 서어나무 푸조나무 검팽나무
팔 벌린 보호수 고목 아래
맥문동 옥잠화가 향기를 더하고
꽃무릇 붉게 번진다

경내에는 바위를 두드리는 듯한 목탁소리
대웅전에서 울리는 소리인가 했는데
맨드라미가 피며 우주를 여는 소리다
향림사 곳곳에는 붉은 꽃이 피지
정원 기와와 돌 사이 소담스럽게

꽃이 피는 동안 봉황이 난다
새는 알에서 깨어나고 어미는 쉰다네

순한 하늘 아래 향기로운 법향 그윽하니
향림사에는 나비가 날아다니고
사람의 마을에는 은은한 미소 향기 번지네

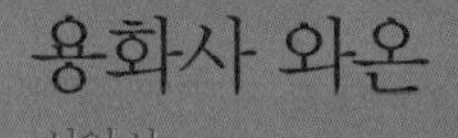

용화사 와온

선암사

밀물이다
잠수의 세계는
소리들로 가득하다

연기찬탄송을 부르던
밀물과 썰물의
고요와 침묵은
텅 빈 우주의 소리

청보라의 정적 바다 속
개펄을 기어 다닌 긴 자국들
거품 숨소리에
물방울 호흡까지

심장 박동소리가
요란하게
우주를 삼킨다
한낮이 쿵쿵 울린다

©황진하

도선암 바람의 꽃

선암사

한적한 외길도
가파른 산길도
수행자의 고독을
다 채우지는 못하지

바람이 일면
숨겨진 바위 위에서
꽃으로 피어도 좋으리

천년 바위에 이끼 가득하다
몇 천 년 햇살이 겹겹이 스며있으니
투명한 햇살은
연초록 햇살이 되고
이끼는 투명한 햇살이 되고

머무르기 어려운 바람은
지나가는 법
네가 가지 않으면
내가 바람 되어 떠나리라 했는데

바람 한 점 없는 저녁
노을 한 자락이
이끼 사이에서 핀
금빛 꽃 위에서
긴 들숨과 날숨을 쉰다

©석연경

정혜사 하늘의 눈

화엄사

구름 위에 그가 사네
그의 몸은
쉽게 흩어지고
쉽게 모여들고
쉽게 사라지지

바람은 어디에서 불어오는가
꽃은 어디에서 왔는가
하늘의 눈으로
그대를 보리라

이슬을 마시는 독수리
언덕 저 너머
정오의 푸른 비가 내리네

동화사 꿈결, 동백꽃

화엄사

수천만 푸른 눈동자에
함박눈 소복하게 내리는데
투명한 그물 매듭마다 비춰옥
서늘한 눈빛 외려 빛나네

솜털 눈 쓴 붉은 편지
눈바람 불어도
꼿꼿하고 절절한 심장에
금빛 꽃술의 순결한 떨림

아득하여라

어렴풋한 바다 위에는

하늘의 백옥 숨결 나부끼는데

파도는 나지막한 음률로

불타오르던 첫 마음을 읊조리네

아아 봄바람 불어온다

꿈에서 깨어나면

붉은 돛단배

꽃바람 타고

봄 바다로 떠가리

바다 너머 둥근 성체에게로

큰 수레 흥륜사

화엄사

말이 질주하면
연기 높이 피우고
아우성인 밤에는
산정에 불을 피우네
불꽃이 불꽃으로
마음이 마음에게로

죽고 사는 것은
칼날 위든가
절벽 위인가
불꽃 위든가
허공의 안인가 밖인가

수행의 칼날을 갈아
푸른 날 선 마음마저
베어버릴 때
침범자는 섬나라로 갔지

도시 산에서
커다란 수레바퀴가 구르네
빛이 흐르는 동쪽 강으로
거리에서 정원으로

산벚꽃 환히 피고
대숲에 맑은 바람 분다
눈 맑은 꽃사슴도
바퀴 굴리러 오리니

불꽃 꺼진 순한 땅에
화엄의 수레가 구른다

©김의길

북극성 금룡사

화엄사

하늘의 중심 자궁紫宮에는
천극성이 있으니
복성리는 별자리 모양이라

팔부신 용신이 있구나
푸른 하늘과 흐르는 구름
별빛 쏟아지는 밤하늘을 보았다면
금빛 용을 타도 좋으리
하늘에 올라
하늘의 마음이 될 수 있으리

인간계에 사는 것도
하늘에 거하는 것도 아니다
하늘과 인간의 중간에 존재하며
불법을 지키는
금빛 용이
여기 북극성처럼 반짝인다

©연경인문문화예술연구소

©연경인문문화예술연구소

ⓒ석연경

연꽃 홍선사

조계사 직할 사암

연방죽이 사라진 자리에
반야바라밀 배 한 척 띄워
선의 향기 펼치니
은은한 선행의 연꽃 물결이
연향동에 널리 퍼지네

석주스님이 써준
처염상정處染常淨
진흙탕 속에서 피어나지만
결코 흙탕물에 물들지 않고
맑고 환하게
연꽃 등불 밝히네

보현사 대숲

화엄사

물가에 있는 마을이라 하여
무들이라 불리다가
수평리가 되었으매
갓바위산 여기
노동선禪 비구니 수행자가
평생 맨손으로 일군
보현사가 있더라

노승은 말이 없고
호수는 반영된 나무의
들숨과 날숨을 느끼며
단풍의 여로를 읽고 있다
대웅전 뒤로는
푸른 대나무가 둘러쳐져
보현바다 출렁인다

©석연경

선원禪院 살구나무 책상에서

수백 개의 나이테
커다란 살구나무 책상 위에
화엄경 보현행원품이 깊고 고른 숨을 쉰다
코끼리를 탄 보현보살이
열 가지 바람으로 피운
연꽃을 들고 나온다

책상 앞에는 용매龍梅가 꿈틀거리며
허공계가 다하도록
온 몸으로 하얀 매화를
향기로 피우고
중생계가 다하도록
백목련은 나무 붓으로
고귀한 우유빛 꽃송이를 피운다

오래된 살구나무 책상에서
가지가 뻗어 나와
우아한 살구꽃 만발하고
선원의 뜰에는
살구꽃잎 날린다

정원 한가운데 있는
보리수나무 아래
너럭바위가
보현삼매에 들었다
무량한 별빛이 쏟아진다

향긋한 살구 열매
선원 뜰에
천 개의 달로 떴다

©석연경

©석연경

석창포

반가사유상이 있는 선원에서
동안거에 들어
참선하는 초록 칼날

은산철벽이다
스스로의 마음에
날을 세울 뿐

회색 돌에 기대어
굵은 뿌리에서부터
정수리까지 차오른 활구
불타는 화두

칼날을 갈고 갈아
세워 드는
빛나는 푸른 납승

맑은 물에서
치솟아
험준한 설산과
검은 암벽을
단칼에 깨부숴 버린다

바라밀다라

맑은 물에 발 담그고
회색 돌에 잔뿌리 내린다
칼날은 이제 아무 것도
베지 않는다

마음이 없는 초록 수좌
부드러운 향기로 무성하니
길쭉한 연황금 꽃대 솟는다

ⓒ석연경

둥근 거울 속으로 들어가서 만나는 순천 송광사와 선암사의 부처 세계

김준태 시인

송광사 대웅보전에 가보라
가지런히 신발 벗고
없는 마음 내리고
없는 괴로움도 버려라

합장하고 무릎 꿇고 절하면
과거 연등불 현재 석가모니 미래 미륵불이
무아이며 무상이니 공이며 중도라
연기적 세계에 갈 곳 알려주네

승보종찰이라 역대 스님도 모셔져 있지
십육국사와 효봉스님 구산스님도 그려져 있지
해마다 추모 다례 올리며
큰스님 길러 내네

염원은 있으되
쌓인 염원은 없으니

황금 부처 앞에 서면
저절로 향이 피워지고
연꽃이 피어나
황금 독수리가 날아가네

—「송광사 대웅보전」

꿈이 아니라면/어떻게 만날 수 있었으랴/당신은 봄꿈이라//물결이 일어도/파도친 바 없고/이슬이 맺혀도/물에 젖은 적이 없으니//봄에는 나비떼 날고/가을에는 꽃단풍 날리네//바위산이 움직여서/바다에 가 닿으니/흰 구름에서/매화 꽃잎 흩날리네

—「대승암에서 봄꿈을 꾸다」

순천에서 석연경 선생이 단숨에 달려왔다.

내가 꼭 좀 보자고 했다. 얼굴은 여러 차례 보아왔지만 시집 해설 혹은 발문을 쓰려면 먼저 사람 얼굴을 보고 다음으로 원고를 보아야 한다고 생각해서이다. 똑같은 사람이라 하더라도 어제 본 사람과 오늘 본 사람은 또한 다르기 때문이다. 그리고 무엇보다도 그의 시세계가 예전의 시보다 더 앞으로 나아가고 있었다. 시적 품위에 있어서나 시의 내적 형태 그리고 외적 형태가 시의 영성적 에스프리를 동반하면서 발전하고 있었다. 아마도 그것은 옛날보다 연꽃을 한 번이라도 더 가까이 보려고 했고 큰 부처님이 계시는 대웅전은 물론 세상 만물을 향하여 두 손을 더 자주자주 내밀어서 빌고 빌었던 결과이리라.

석연경 선생의 이번 시집은 순천 송광사와 선암사가 중심이다. 이 두 명찰은 백두대간의 지맥으로 소백산맥의 끝자락에 자리 잡은 해발 884미터의 조계산을 사이에 두고 석가모니 큰 부처님이 계시는 수미산처럼 솟아 있다. 사실 부처님의 철학으로 말씀을 드린다면 높이와 길이를 잴 수 없는 수미산 속에 조계산이 들어 있고, 아니라면 조계산 속에 수미산이 들어와서 깊고 넓게 길고 높이 솟아 있는 곳이 예 아니던가. 독일의 물리학자 하이젠베르크의 양자역학에 따르면 부분(der Teil) 속에 전체(die Ganzheit)가 들어 있고 전체 속에 그 부분들이 하나하나 빛과 숨결을 출렁이면서 들어 있는 것이 아니던가. 이 두 천년고찰은 한반도 남녘 땅뿐만이 아니라 한반도 전체에서 큰 역할을 해왔던 불교의 큰 도량으로 이 땅의 민중사와 함께해왔다.

송광사는 대한불교조계종 제21교구 본사로 양산의 통도사, 합천의 해인사와 더불어 삼보사찰로 인구에 널리 회자되고 있다. 부처님의 진신사리가 모셔져 있어서 통도사는 불보사찰, 부처님의 가르침을 새긴 팔만대장경이 모셔져 있어서 해인사는 법보사찰, 역대 큰스님들을 배출하여 부처님의 승맥을 잇고 있다 해서 송광사는 승보사찰로 널리 알려졌으며 한국불교, 한반도 불교를 대표하는 부처님의 도량이다.

천년사찰 송광사는 신라 말엽 혜린선사에 의해 '길상사'란 조그마한 절로 출발하였다고 전해진다. 이 절이 고려시대로 넘어와 지눌 보조국사를 만나면서부터 명실공히 '큰절'이 되어 불교사상의 중심지가 된 것이다. 고려불교를 선종을 중심으로 교종과 통합하여 '조계종'을 창시한 보조국사는 송광사를 '정혜결사'의 중심지로 삼았다. 마음의 통일을 중시하는… 마음을 고요히 가라앉혀 한곳에 집중토록하는 '선정'과 지혜를 함께 닦을 것을 결의한 '정혜결사'로 고려불교를 정화 혹은 지양하는 데 큰 공덕을 세웠다. 그리하여 보조국사는 먼저 참선을 통해 지혜(경전공부)를 함께 수도하는 '정혜쌍수' 정신에서 '돈오점수' 즉 부처를 깨닫게 되는 점진적 수행단계를 강조하면서 고려반도의 불교에 일대 획을 그었다. 바로 이와 같은 불교의 실천사상에 의해 송광사는 큰스님들의 승맥이 이어진 것이다. 열여섯 명의 국사, 16국사를 배출한 승보사찰로서 송광사는 근현대에 들어와서도 구산스님을 비롯하여 훌륭한 스님들이 줄지어 배출되면서 그 가르침과 배움과 향기를 더하고 있다.

구산스님은 특히 송광사는 물론 대한불교 조계종을 제 자리에 서게 하는 데 몸과 정신을 바치신 큰스님이다. 스님은 이 땅의 대한불교를 위하여 "자신을 희생하며 정화운동의 분기점을 마련했다"라는 평가를 받고 있다. 1950년대의 자유당 시절에 비구승과 대처승의 싸움이 일어났을 때 단식 등 죽음을 불사하면서 대한불교의 갱신 혹은 유신에 불을 당겼다. 구산스님이 망치로 손끝을 계속 때리면서 써 내려간 당시 이승만 '대통령께 올리는 탄원서'로 '500자혈서'를 작성하여 불교정화운동의 한 정점을 이룩한 것은 한국사의 큰 사건이기도 하였다. 구산 스님의 혈서로 "비구승들은 승려대회를 무사히 열었으며 종회의원 50여 명과 623명의 주지 선출, 총무원의 새로운 간부를 선출했고…이로써 대처 측 총무원은 해소되고 비구승 측 총무원이 전국 사찰 주지 임명권과 재산관리권을 갖게 되었던" 것이다. 이와 같은 결과로 "비구 측 효봉스님이 초대종정에 추대되고 주석처로 대구 동화사가 결정되었으며 구산스님은 동화사 주지로 임명돼 종정스님을 모시면서 '통합종단'이 출범"한 것이다.

효봉스님의 제자 구산스님이 이끌어나간 '불교정화운동'은 대통령 유시로 내무부와 문교부에서 조정돼 비구승·비구니 자격원칙이 결정되었다. 첫째 사바라이죄를 짓지 않을 것, 둘째 수행 중심으로 할 것, 셋째 3년 이상 수도원 수행자로 할 것, 넷째 독신승이라도 세속 직업에 종사하지 않는 자로 정했다. 여기에서 첫째 조항으로 '사바라이죄'는 네 가지 죄를 지으면 바로 승복을 벗기는 벌칙이었는데 '살도음망'이 그것이다. 살아 있는 생명을 죽이는 것, 주지 않는 것을 가지는 것 즉 도둑질하는 것, 음탕한 행위를 하는 것, 남을 속이는 일을 한 자는 스님이 될 수 없으며 나중에라도 그 일을 저지르면 바로 승복을 벗어야 하는 것이 엄중하고 엄격한 불교가문의 철칙이다. 때문에 불가에서는 '사바라이죄'를 지으면 실제로는 그러하지는 않지만 비유로 '목을 끊는다'로 얘기되고 있다. 이처럼 송광사 문중의 가통은 엄한 '부처님법' 안에 들어 있다.

한국불교 태고종 총림 선암사도 1000년 이상의 역사를 가진 남도의 명찰이다. 542년 신라 진흥왕 3년에 아도화상이 '비로암'이란 이름으로 세웠다는 설이 있으나 875년 헌강왕 1년에 개창했다는 것이 정설로 회자되고 있다. 송광사 보조국사가 참선과 지혜로 불도를 닦는 정혜쌍수를 좇았다면 고려 선종 때 대각국사 의천이 중창한 선암사는 '교관겸수'로 불교통

일을 꾀하였다. 예컨대 교(경전 공부)와 관(선 수행)을 함께 닦는 수행의 길을 강조했다. 지눌 보조국사가 선종 중심의 통일을 주장했다면 의천은 교종 중심의 통일을 주장하였다.

송광사가 멀리로는 임진왜란으로부터 가까이는 6·25한국전쟁에 이르기까지 큰 병화를 입은 것처럼 선암사도 정유재란 등으로 많은 참화를 입었다. 그럼에도 사부대중과 이 땅 민중들의 쉼 없는 보시와 노력으로 중창과 보수를 계속하였다. 순천 선암사는 2018년도 양산 통도사, 안동 봉정사, 영주 부석사, 해남 대흥사, 보은 법주사, 공주 마곡사와 함께 '산사, 한국의 산지승원 Sansa, Buddhist Mountain Monasteries in Korea'란 이름으로 유네스코 세계문화유산 지정사찰이 되었다.

"송광사 대웅보전에 가보라/가지런히 신발 벗고/없는 마음 내리고/없는 괴로움도 버려라" "염원은 있으되/쌓인 염원은 없으니//황금 부처 앞에 서면/저절로 향이 피워지고/연꽃이 피어나/황금 독수리가 날아가네" 순천에 사는 석연경 선생(보살이라고 부르고 싶지만 편하게 '선생'이라고 부르는 게 좋겠다)께서 내게 60여 편 이상의 시를 보내온 것이다. 그런데 송광사와 선암사에 대한 자비와 사랑이 그득히 담긴 시편들이 대종을 이루고 있었다. 대부분의 시 속에서 불심이 연꽃처럼 피어오르고 있었다! 얘기를 들어 본즉 그의 고향은 경상남도 밀양인데 어릴 적에 할머니의 손을 꼭 잡고 '무봉사'란 절을 자주자주 드나들곤 했다고 한다.

석연경 선생의 할머니도 이 글의 필자인 내 고향 할머니처럼 이 땅 한반도의 모든 어머니들이 그래왔듯이 종교가 불교였던 것이다. 옛날에 한국의 모든 문화는 거의 불교 사찰권 안에 들어왔던 것이 사실이다. 고구려 소수림왕, 백제 침류왕, 신라의 경우 법흥왕 때 들어와 자리 잡은 불교! 일찍이 옛날, 민중들의 가슴속에는 누구나 할 것 없이 '석나모니 부처'가 들어앉아 있었던 것이다. 따라서 비록 글씨는 낫 놓고 ㄱ자도 모르는 할머니들이라도 몸속에는 마음속에는 부처님과 토속신앙(샤머니즘), 동물과 식물을 섬기는 토테미즘, 모든 사물에는 '영혼'이 들어가 살아 있다는 애니미즘(범신론)이 담겨서 출렁거리고 있었다는 얘기다. 그리하여 우리의 옛날 사람들은 하늘의 구름을 보아도 산속에 가서 솔바람 소리를 들어도… 하늘에 해와 달이 뜨고 별들이 뜨는 모든 현상들을 종교적 현상으로 혹은 신성주의적 감각으로 받아들였고 또 그러함에 대하여 기도를 올리곤 했다.

경상남도 무봉사 문화권에서 소녀 시절을 보낸 석연경 선생이 광주에 와서 대학을 다니고 순천에 내려가 오래오래 살면서 자주자주, 때로는 일상적으로 찾아가는 송광사와 선암사에서 마주한 부처님의 세계도 아마도 근원

적으로 같았을 것 같다. 순천에서 아담하지만 꽤 알차게 꾸려가고 있는 '연경인문문화예술연구소'를 차려놓고 활동하는 석연경 선생. 그녀는 조그마한 문화칼럼을 운영하면서 이곳 순천에 많은 인사들을 모셔와 강의도 개설해 놓고 있다. 그런 가운데 조계산의 송광사와 선암사를 마치 학교처럼 혹은 '마음과 몸의 고향'처럼 찾아다니고 있는 것이 그와 시의 행적인 것 같다. 부처님을 찾아가는 길, 그리하여 종국에는 '내 마음'을 찾아가는 길을 송광사와 선암사에서 발견한 석연경 선생은 어느새 "없는 마음 내리고/없는 괴로움도 버려라"하는 부처의 가르침을 조계산 나무들 속에서 듣고 있는 것이 보인다. 불교에서 말하는 유무의 세계… 있는 것은 없고 없는 것은 또한 있는 것이니 너무 '가짐(소유)'에 집착하지 말고 부처님 자비의 품에 귀의하는 시구들이 그러함을 말해준다. 지나친 '가짐'을 버리면 자비함에 이른다는 뜻이리라.

폭설이여

먼 옛날 보조국사
마른 향나무에
난난분분 내리느냐

활활 타는 화두에
한 점 먼지라

눈 코 귀 입
자취가 없네

누군가 정혜쌍수를 물으면
죽어서도 죽지 않는
고향수를 보여주리

조계문 앞
무성한 심목心木을

—「심목心木 고향수枯香樹」

보고도 알 수 없는 것
만지고도 알 수 없는 것
감각으로는 알 수 없고
머리로는 알 수 없는
놋쇠의 포개짐

아래로 포개도
위로 포개도
하나로 포개지는

자연과 사람이
전생과 이승이
꽃과 나비가
손과 손이 하나로 포개지는

너와 나의 만남도 비밀의 겹쳐짐
보이지 않는 겹쳐짐

알 수 없는 우주의 신비

—「능견난사」

하얀 눈이 펄펄 내리는 조계문 앞 나무 심목에서 문득 부처의 모습을 느끼는 나머지 "눈 코 귀 입/자취가 없네"라고 노래하는 석연경 선생은 보조국가의 가르침을 깨닫는다. 문득 찾아오는 정혜쌍수 즉 참선과 지혜를 닦는 길에 나섰던 옛 스님의 모습을 "죽어서도 죽지 않는/고향수"로 받아들이며 손을 모은다. 본래 불교에서는 시간과 공간이 따로 없고 삶과 죽음이 따로 없고 천지만물 유무존재들이 죽어서도 죽지 않는 것이어서 그것을 부처의 세계 혹은 극락의 세계라 말한다. 예컨대 부처님의 세계는 '불이'의 세계이다. 둘이 아닌 하나의 세계라는 것이다. 존재하는 모든 것들과 모든 사람들이 둘이 아닌 '하나'의 세계 속에서 부처님을 만나는 것이라는 뜻이다. 이와 같은 세계가 바로 화엄의 세계이다.

석연경 선생은 이번 그녀의 시집에서 가장 훌륭한 작품의 하나로 평가되어도 좋을 「능견난사」라는 시에서 예의 '불이(둘이 아닌 하나)'의 세계를 혹은 부처님의 세계를 구체적인 표현으로 보여주고 있다. 스님들이 밥그릇으로 사용하는 바루(발우)를 대상으로 노래한 시인데, 시 제목은 능히 보고도 생각하기 어렵다는 뜻으로 보통의 이치로는 추측할 수 없다는 말에서 빌려온 것이다. 조선시대 숙종 임금은 송광사 바루를 보고 능견난사라고 했다고 전한다.

지눌 보조국사가 중국 금나라에 가서 병든 황제를 치료하기 위하여 기도를 해준 공덕으로 받아왔다는 500점의 청동제 바루, 놋그릇(놋쇠로 만든 밥그릇)은 원래 부처님께 공양할 때 쓰던 것이라고 전한다. 전라남도 무형문화재 제19호로 지정된 이 바루는 오늘날에는 30점만 남아서 보존되고 있다. 석연경 선생은 이 시에서 물질적 바루를 정신적 바루 그 이상으로 승화시켜 노래하고 있다. "보고도 알 수 없는 것/만지고도 알 수 없는 것/감각으로는 알 수 없고/머리로는 알 수 없는/놋쇠의 포개짐"을 놀라운 시선으로 바라본다. 그릇 하나하나 포개져 있는 모습에서 '포개짐'이라는 어휘를 시 속에 얹혀놓고 있다. 아, 이 경탄할 만한 포개짐의 의미! 굽이 없고 가벼운 놋그릇 바루들이 서로 포개져 있는 모습에서 석 선생은 생각의 포개짐, 너와 나의 포개짐, 세상의 포개짐, 세상 사람들의 포개짐, 세상 만물의 포개짐, 그 기막힌 말 '둘이 아닌 하나'라는 '둥근 세계'를 발견한 것이 아닌가! 우리들 사부대중은 물론 부처님께서도 꿈꾸는 불이의 세계, 극락의 세계를 아름답게 재현해주고 있는 시가 「능견난사」이다. 사실 이 시 하나로 석연경 선생에게 내가 누구한테나 함부로 붙여주기 힘들어 하는 '시인'이라는 말을 붙여두려 한다. "시인 석연경!" 비로소 석연경 선생은 능견난사를 통하여 또는 기점으로 하여 새로운 시의 세계에 들어선 것 같다.

"아래로 포개도/위로 포개도/하나로 포개지는" "자연과 사람이/전생과 이승이/꽃과 나비가/손과 손이 하나로 포개지는" 세계가, "너와 나의 만남도 비밀의 겹쳐짐/보이지 않는 겹쳐짐"의 세계가 석연경 시인의 시 「능견난사」에서 "알 수 없는 우주의 신비"로 저 부처님이 계시는 수미산을 향하여 상승작용을 하고 있는 것이다.

시 「능견난사」에 이어 「영산회상도」 「눈 내리는 후박나무 숲에서」 「겨울, 저녁 불임암」 「깨달음의 새」 「선암사 원통전 모란꽃살에 기대어」 「선암사 칠전선원」 「대승암에서 봄꿈을 꾸다」 「석창포」는 이번 석연경 시인의 시집에서 가장 아름다운 시편으로 읽힌다. 이와 같은 시로 하여 그는 부처님이 계시는 법당 안에서 혹은 천지현황을 이루는 산과 바다와 수많은 길 위에서 '부처님을 노래하는 시인'으로 등극하여도 좋을 자격을 부여받은 것으로 인정하고 싶다. 물론 더 많은 고행(타파스차리아)을 거쳐 가야 함은 말할 나위도 없으리라. 달빛 속에 피어 있는 연꽃을 보고 "한 송이 연꽃에는/수만 가지 향기"라고 은유(메타포어)로 말해주면서 "번뇌가 보리고/보리가 번뇌려니/연꽃 위를 걷는 사람은/향기로운 발자국을 남기리"(「영산회상도」)라고 노래한다. '너는 나다 나는 너다! 하늘은 땅이다 땅은 하늘이다! A=B!'라는 은유의 세계는 진실로 부처님의 말씀과 행적이 담긴 '불경'을 가득가득 채우고 있는 곡식이요 진리인 것이다. 역시 둘이 아닌 하나의 둥근 세계에 다름 아니다.

"고삐 없는 흰 소가/허공을 떠다니며/행선을 한다//(중략)//달빛은/눈 안에서 빛나고/숲의 적막은/눈 위에서 빛난다"(「눈 내리는 후박나무 숲에서」) … "아니오라는 한 마디/그 때 불일암에서/나는 보았네/후박나무 아래서 울컥/저녁 허공을 쓸던/가시뿐인 겨울나무//말없이 안아보니/깡마른 가시가/보드랍고 촉촉하게 벙글은/하얀 꽃송이였네/품지 않고도 품어주는/맑고 향기로운 꽃나무였네"(「겨울, 저녁 불임암에서」) … 가시뿐인 겨울나무를 보드랍고 촉촉하게 벙글은 하얀 꽃송이로 노래하는 시인은 마침내 '깨달음의 새'가 되어 날고 있다. 그리하여 석연경 시인은 「선암사 칠전선원」에 이르러서는 "하늘에 달 수레가 굴러가니/선원에 달빛 그윽하"고 "달마전에서 묵언하던 스님/귀에서 영롱한 사리가 나"온다며 "방이 방을 껴안고/벽이 벽을 껴안"으니 "계곡이 얼고 수곽이 얼어도/선승의 차고도 맑은 숨결/고요 속에 흐"른다고 노래하는 것이다.

> 사찰숲에 바람 스치는 소리는
> 선승의 노래라
> 뼈 없는 돌장승이
> 흘러가는 구름 사이에 있다

새가 단풍나무 가지에 앉는다
단풍잎 떨어지자 날아간다

소나무에 새가 앉는다
솔방울 떨어지자 날아간다

눈 내린 오도암에
새 솜털 하나 묻혀 있다

–「깨달음의 새」

하늘에 달 수레가 굴러가니
선원에 달빛 그윽하다

달마전에서 묵언하던 스님
귀에서 영롱한 사리가 나오네

선기 총총 밝아
선원 햇살 투명하니
방이 방을 껴안고
벽이 벽을 껴안네

계곡이 얼고 수곽이 얼어도
선승의 차고도 맑은 숨결
고요 속에 흐를 뿐

–「선암사 칠전선원」

석연경 시인은 이제 부처님의 '원융'의 세계를 그리워하며 노래 부른다. 송광사 수선사 둥근 거울에서 부처님과 그의 시의 갈 길을 만난 것으로 짐작된다. 물론 그가 가는 길은, 그가 노래하는 길은 너와 나 즉 하나일 수밖에 없는 '불이의 길' '둥긂의 길'이다. "둥근 마음에는/둥근 얼굴이 담기"는 것을 고대하면서 부처의 그 "맑은 우주의 거울"이 우리가 살고 있는 이 땅에 걸려 있다고 생각하고 또 그렇게 바라보고 있는 것이다. 그런데 시인이 아직 그 둥근 거울 속에 자신을 완전하게(어느 만큼은 제대로) 투사시키고 있는 것은 아니다, 라는 생각도 떨쳐버릴 수 없음이 나의 솔직한 고백이다. 시「둥근 거울」의 마지막 연에서 "둥근 마음마저 없는 것을 보면/맑은 거울도 사라지고/비추는 것 없이/지나가는 바람만 있네"라고 귀결했을 때 그러한 생각이 들었다. 그가 마지막 연에서 시의 눈(아이콘)으로 삼아야 할 말(실체)을 '눈에 안 보이는' '바람'으로 매듭지었기 때문이다. 물론 부처님의 세계에서는 바람과 허공도 눈에는 다 보이는 것으로 전하여지고 있지만 그렇다는 것이다.

둥근 마음에는
둥근 얼굴이 담기고
붉은 마음 안에는
붉은 빛이 담기네

색 바랜 선객이 침묵으로 면벽하니
송광사 수선사 둥근 거울

하나의 원 안에서

맑은 우주 거울이 되네

거울마저 없음을 보면

둥근 마음마저 없는 것을 보면

맑은 거울도 사라지고

비추는 것 없이

지나가는 바람만 있네

-「둥근 거울」

그러나 「둥근 거울」이란 시에서 잠시 바람의 방황을 했을 시인의 사유에 대한 걱정과 우려는 다년생 식물인 「석창포」라는 시에서 해소되고 있어 안심이다. "반가사유상이 있는 선원에서/동안거에 들어/참선하는 초록 칼날"로 형상화하는 이 시에서 부처님의 준엄한 가르침이 새겨져 나온다. 손도 댈 수 없고 이빨도 들어가지 않는, 오도 가도 못 하지만 부처에 대한 '굳건한 믿음'을 가지고 은산철벽이 되어 "스스로의 마음에 날을 세"우는 시인의 마음을 엿보게 되어 기쁘다. 석창포를 "회색 돌에 기대어/굵은 뿌리에서부터/정수리까지 차오른 활구/불타는 화두"로 삼아 중(스님)으로 바라보면서 "칼날을 갈고 갈아/세워 드는/빛나는 푸른 납승"으로 노래하는 대목은 날카롭고 당당하다. "맑은 물에서/치솟아/험준한 설산과/검은 암벽을/단칼에 깨부숴 버린다"는 시구가 더욱 그러하다. 하지만 그 날카로움은 "이제 아무 것도 베지 않는" 꽃 피는 석창포가 되어 "길쭉한 연황금 꽃대 솟는" 것이 아닌가! 바로 여기에서 시인 석연경의 시는 앞으로 인구에 회자되는 '부처의 시'를 생산할 수 있을 것이라 예감 혹은 예언해본다. 그렇다, 이제부터이다. 석연경 선생은 그리하여 석연경 시인은 꽃이 칼이 되는 이 사바세계에서 '칼이 꽃이 되는 시'를 고요히 그리고 더욱 아름답게 물결쳐 주리라 더욱 예감하는 것이다. '조그마한 수미산'이라고 말해도 좋을 조계산 송광사와 선암사를 더욱 손 모아 기도하면서 그의 부처와 함께 가는 길에 자비와 평화가 함께하기를 빈다.

불멸기원 2565년

단군왕검 4355년

서기2022년 봄날

손 모아 합장!!